# serres et vallats des Cévennes

# Cévennes
## serres et vallats des

photographies Daniel Faure
texte Max Olivier-Lacamp

Chêne

*Collection* terroirs

407

© 1980 Sté Nlle des Éditions du Chêne, Paris
Max Olivier-Lacamp pour le texte
et Daniel Faure pour les photographies

Tous droits réservés

Imprimé en Espagne

ISBN: 2 85108 258 2
ISSN: 0 153 0682

Quand j'étais enfant, adolescent et même jeune homme, lorsque je répondais : *Cévennes* à ceux qui demandaient à la rentrée où j'avais passé les vacances, les yeux, le plus souvent, s'écarquillaient. S'écarquillaient de deux manières : la première, interrogative, traduisible par : Cévennes, OUSSÉKSSÉ, KÉKSSÉKSSA; la seconde, pitoyable : pauvre garçon, faut-il que ses parents soient sévères pour l'envoyer tirer ses congés dans un creux si profond qu'on en ignore le nom.

A ceux qui demandaient des détails, je précisais : ce sont des montagnes, dans le Midi... Le mot *Midi* avait, comme on dit aujourd'hui, une certaine force d'impact, il évoquait la Côte d'Azur, la mer toujours bleue, etc. Ah oui, les Alpes-Maritimes... Est-ce du côté de Nice ou de celui de Cannes? Non pas, le train passe par Clermont-Ferrand... Alors c'est l'Auvergne! Mais non, voyons, etc. En effet, à part les représentants des familles d'Alès, de Nîmes, de Montpellier émigrées à Paris, restées fidèles à leurs vieilles maisons de campagne ou de petites villes ainsi qu'à une certaine tradition, qui donc savait où se situaient, au juste, les Cévennes? Même parmi les protestants qui pourtant auraient dû!

De nos jours, et depuis une dizaine ou une vingtaine d'années, ceux qui ne connaissaient pas mes attaches, lorsqu'ils s'informent de la localisation de ma résidence de campagne : Ah les Cévennes, disent-ils, quel merveilleux pays... Comme vous avez de la chance! Et de me demander si l'on y trouve encore des ruines à aménager, ou un bout de terrain pas trop cher dans un coin tranquille... A ma surprise, mon émerveillement, aussi quel-quefois mon regret, ce pays perdu, farouche, ce désert qu'on décrivait comme sinistre, aux seules beautés géologiques et forestières, est à la mode; et le pied cube de ruines comme le mètre carré plus ou moins bâtissable ont pris des valeurs imprévisibles il y a quelques années. Le monde allant comme il va, avec un rien de snobisme, les Cévennes sont tout à fait « *in* »... Pourtant, pendant des dizaines et des dizaines d'années, le pays était à l'abandon, ou à peu près, des « mas », des hameaux entiers, croulants, en ruine, envahis de ronces et d'orties, des « jasses », des « bories », même des castels et des bastides, détuilés, pour ne pas coûter l'impôt aux propriétaires absentéistes. Des herbes, des lianes, des épines partout... La terre en friche, les cultures abandonnées, même les châtaigniers plusieurs fois centenaires jamais plus labourés, au pied envahi de broussailles, peu à peu atteints de la maladie mortelle de l'encre et de je ne sais plus quel parasite aux effets destructeurs; les mûriers effeuillés, les magnaneries lézardées, les vieilles filatures aux vitres éclatées, aux cheminées dangereuses défaites brique par brique par le vent marin, le mistral et la tramontane... Et puis, pfutt, la mode, et tout cela qui revit et qui se nettoie... Tout cela, je veux dire les maisons, mas, masades, bastides, jasses, cazals, casalis et cazalets, bories et châteaux. Tout cela se reconstruit, et les villages presque morts revivent un peu, même assez bien parce que partout le bâtiment va. Le vieux maçon depuis longtemps réduit à colmater les gouttières des toits percés cède la place à son fils qui devient entrepreneur, prend des compagnons, des apprentis et du crédit pour acheter des bulldozers, des bétonneuses, des trucs, au fait comment les appelle-t-on ? en fer croisillonné, en forme d'équerre, qui ressemblent à des grues et qui vous grimpent vitesse « grand V » sur les toits des moellons, des baquets de béton, de pleins casiers de tuiles ou de lauzes, ou même de ce machin synthétique, plus ou moins ondulé qui couvre laidement les maisons pour un peu moins cher... Dans les petites villes du pourtour et les bourgs de l'intérieur, les marchands d'accessoires font fortune, les fournisseurs d'entrepreneurs, les droguistes, les quincailliers. Qui ne fait pas, de nos jours, la queue pendant les vacances de Pâques ou pendant les mois d'été, au milieu de multitudes en shorts orange ou chandails col roulé, pour acheter un if où mettre à sécher les bouteilles, quand la cave est prête, de l'enduit à boucher les fissures (il en faut à la tonne, quand le vieux mur est de pierre cévenole), de la poudre grise pour réamorcer les fosses septiques, et les kilomètres de tuyau d'arrosage jaune, vert, rouge, avec ou sans pomme. Et chacun, selon l'état d'avancement de sa maison neuve ou retapée, s'en va, sécateur sous le bras, tailler ses rosiers ou défricher un « ronsas ».

Du côté de l'agriculture, c'est moins brillant, les champs restent en friche, les vignes, quand elles n'ont pas été arrachées pour la prime (en basses Cévennes) sont pleines de mauvaises herbes et les châtaigniers, les beaux châtaigniers font peine à voir. Ces châtaigniers plantés, on le sait, c'est historique, par les bénédictins d'Aniane dont les prieurés quadrillaient la région, vers l'an mil, défrichant les montagnes pour y planter un arbre aux fruits plus nourrissants que les glands des chênes primordiaux, tout en civilisant les hommes des bois, autochtones ou mauvais garçons cachés là, pâtres de pourceaux « gavaches » descendus du Nord, hérétiques venus de l'ouest par la vallée du Tarn, proscrits de la plaine de Nîmes, juifs et marannes de la basse vallée du Vidourle...

J'allais oublier l'essentiel, je parle des Cévennes et je fonce en désordre dans toutes les directions en oubliant de commencer par le commencement, c'est-à-dire de définir exactement les Cévennes... Là, je rechigne un peu. Même franchement, parce que j'ai peur de me faire des ennemis. Je crois que la raison pour laquelle, officiellement ou pas, on dit — toujours au pluriel — les Cévennes, vient de ce qu'il y a énormément de Cévennes et que chacun, ou presque, possède la sienne. Autrement dit, Cévennes est une expression géographique à géométrie variable, dont le contenu est prodigieusement différent selon celui qui l'emploie.

Depuis Strabon, le Grec qui faisait les cartes du monde gréco-latin voilà deux mille ans bien comptés, les atlas et les géographes appellent Cévennes tout l'ourlet montagneux du Massif central, à l'est et au sud dudit. On voit les quatorze lettres de Cebennae Montis et les treize de Monts Sévennes s'étaler en arcs de cercle sur les vieilles « mappes » le C ou le M à la verticale de Carcassonne, l'S finale aux environs d'Auxerre. Autrement dit de la Montagne Noire au Morvan. La Montagne Noire, passe, mais le Morvan, tout de même ! Pour l'*Encyclopédie britannique*, les monts du Beaujolais font partie des Cévennes et le *Grand Larousse* en six volumes les fait courir du seuil de Naurouze aux monts du Charolais, tout en précisant que les vraies Cévennes, ou Cévennes proprement dites, infiniment plus limitées, s'étendraient d'ouest en est, de l'Aigoual au col de Finiels... Onésime Reclus, amoureux passionné des Cévennes, un de leurs explorateurs enthousiastes à la fin du siècle dernier, après avoir visité, comme son frère Élysée — autre grand géographe quarante-huitard et communard — la terre entière, définit ainsi dans son style chaleureux la vraie Cévenne et, comme on le voit, il est très « restrictif ». « De l'Aigoual à la Lozère, écrit-il dans *En France*, s'étalent, chaîne étroite et nombreux chaînons, les seules Cévennes réellement nommées Cévennes dans l'usage courant du peuple. C'est le filtre d'où sourdent les capricieux gardons souvent presque taris et parfois tonnerres d'eau, quand le ciel d'airain, s'encombrant surtout de nuages, se déchire en trombes de pluie sur la montagne raide. A peine l'orage a-t-il éclaté sur la cime que déjà le torrent mugit au bas de la Cévenne. »

La définition du Parc national des Cévennes est plus généreuse mais très explicite de la variété cévenole : « Les Cévennes proprement dites, comprises entre la montagne du Tanargue et le causse du Larzac, dominées par le Mont-Lozère (massif) et l'Aigoual, constituent une véritable plaque tournante de sols, de climats, de flore et de faune, de modes de vie, de paysages. La délimitation du parc englobe 107 000 hectares chevauchant, en partie, les trois départements de la Lozère, de l'Ardèche et du Gard [...] Il comprend les deux versants méditerranéen et atlantique des Cévennes proprement dites ainsi que l'ensemble des massifs des Mont-Lozère et Aigoual. Son périmètre est jalonné — à l'extérieur — par les villes suivantes : Le Bleymard, Villefort, Thines, Les Vans, Joyeuse, Ruoms, Albon,

Barjac, Saint-Ambroix, Bessèges, Genolhac, Saint-Jean-du- Gard, Lasalle, Le Vigan, Lanuejols, Meyrueis et Florac, toutes situées en dehors, sauf Thines. »

Mais si je m'amusais à limiter les Cévennes au périmètre du parc, quels hurlements n'entendrais-je pas... Parce que, je l'ai dit, chacun possède sa Cévenne, ou si l'on préfère sa motivation cévenole, et qu'à côté de la Cévenne géographique, plus ou moins généreusement ou parcimonieusement délimitée, existe la Cévenne historique, celle de la révolte religieuse, ainsi décrite par Robert-Louis Stevenson dans son *Journal de route*, c'est-à-dire les notes grâce auxquelles il écrivit son fameux *Voyage avec un âne* : « Le Mont-Lozère s'étend presque d'ouest en est, coupant le Gévaudan en deux parties inégales. Son point culminant, le pic de Finiels, permet à la vue, par beau temps, d'embrasser tout le bas Languedoc jusqu'à la mer. Derrière moi s'étendait le plateau que j'avais traversé, peuplé d'une race morne, sans bois, sans grandeur dans la forme des collines, connu dans le passé surtout par ses loups. Mais devant moi, à demi voilé par une brume ensoleillée, s'étendait un autre Gévaudan riche, pittoresque, illustré par des événements bouleversants... Au sens large, j'étais dans les Cévennes au Monastier et durant tout mon voyage, mais il y a un sens restreint et local dans lequel seulement ce pays désordonné et broussailleux, à mes pieds, a droit au nom. Et c'est en ce sens que les paysans l'emploient. Ce sont les Cévennes au sens plein, les Cévennes des Cévennes; c'est tout le théâtre de l'insurrection des Camisards. » Quoi qu'il en soit, chacun possédant « sa cévenne », même ceux qui y ont à peine droit, il reste que l'aristocratie, celle qui prétend au titre nobiliaire de Cévenol, est composée de ceux qui peuvent faire leurs preuves, qu'ils soient d'Anduze, de Lasalle, du Pont de Montvert, de Saint-Jean-du-Gard, de Génolhac, voire de Saint-Hippolyte-du-Fort, même de plus bas dans la garrigue, en arguant d'un nom de famille qu'on puisse trouver parmi des milliers et des milliers sur les listes de pasteurs du désert, de prédicants, de camisards, de simples fidèles, déportés ou exilés, galériens ou prisonniers, roués ou pendus entre la révocation de l'édit de Nantes, en 1685, et l'édit de tolérance de 1787.

La Cévenne des gardons, et je suis de l'avis d'Onésime Reclus, c'est vraiment la Cévenne des Cévennes dont la partie centrale, l'axe, si l'on veut, en forme d'échine de dragon, c'est la *corniche*, qui forme épine dorsale entre la vallée Borgne et la vallée Française qui courent contre elle, l'une avec l'Aigoual à tribord, l'autre avec le Bougès et les contreforts du Mont-Lozère à bâbord.

Dans mon enfance et dans ma jeunesse, nous la parcourions, cette corniche, à pied ou en poussant un vélo qui crevait tous les kilomètres, pour faire des camps volants dans l'inconfort total du pur scoutisme d'entre les deux guerres... Quelques voitures s'aventuraient dans la rocaille sur les schistes coupants, à travers les prairies d'herbes folles qui prenaient sur de larges tronçons la place d'une ancienne route royale. « Faire » la corniche de bout en bout, des portes de Florac à celles de Saint-Jean-du-Gard, fut longtemps, pour l'automobiliste, un exploit dont on parlait dans la région. Pourtant, du col du Rey, où elle commence vraiment, à l'embranchement de la route de Barre-des-Cévennes (vraie barre, s'il en fut jamais, de rochers en muraille), jusqu'au bas de la grande descente en lacets qui tombe au lieu dit « sautadou », sur le gardon de Saint-Jean, elle ne faisait pas quarante kilomètres, comme aujourd'hui. Les spacieux virages aménagés et réaménagés excessivement dans le style autoroute ont dû l'allonger un peu...

J'aime, malgré le perfectionnisme des travaux publics, prendre cette chère route à « contre-gardon » comme on dit quand on remonte une vallée. On y travaille dur, chaque printemps, sur la corniche... parce que là-haut, en hiver et à l'automne, les quatre vents du ciel ont l'habitude de se battre furieusement. La neige colle tard aux ubacs où le soleil ne vient jamais, et les grosses pluies qui font le Tarn, l'Hérault, le Lot et la collection de gardons qui donnent, en s'ajoutant les uns aux autres, naissance au Gard sous le pont romain du même nom ne se gênent pas pour arracher les morceaux de route qui voudraient les empêcher, non pas de ruisseler, ni même de cascader, mais de « torrenter » (pourquoi pas ?).

Quelle vue, de part et d'autre de ce chemin royal, le soir, le matin, au gros de l'été, au petit printemps, à l'automne rouge ou en janvier de cristal !

Pourtant ce sont toujours les mêmes montagnes qui ne ressemblent à rien de ce qu'on peut voir en France ou ailleurs. Certains disent que les Carpathes chères à Dracula donneraient une idée des Cévennes. Je n'ai vérifié qu'à travers Jules Verne et bien entendu Bram Stoker, je ne suis pas convaincu. C'est pourtant comme là-bas, plein de rochers, de falaises, de caillasse à paillettes qui brillent comme de l'or au soleil frisant, mais qui miroitent tendrement quand le ciel est couvert, pour devenir douces comme l'argent au clair de lune. Pas, ou très peu d'arrondis, de croupes et de tétons, pas de molles ondulations chères à l'amateur d'édredons ou de femmes fessues à fossettes à la Rubens. Tout est déchiqueté, nerveux, vibrant, la lumière comme l'air *reçue à je ne sais quelle sévère essence*. Ces hêtres, ces pins, ces châtaigniers au fond des précipices, sont-ils loin ? sont-ils près ? sont-ils aussi vrais que le ciel bleu au-dessus des crêtes de rocaille où la « draille » aux moutons millénaires monte en tournant de l'ombre au soleil et du soleil à l'ombre...

On est pris de vertige, d'un versant à l'autre, et l'on se retrouve, au-dessus d'un toit aux mille tuiles, pour parler comme Paul Valéry, le Sétois, qui devait connaître les Cévennes et l'on songe, comme lui devant la mer, que *la vie est vaste, étant ivre d'absence.*

Assez de rêveries, assez de romantisme... La corniche, grâce à laquelle aujourd'hui n'importe quel profane motorisé peut avoir le coup de foudre pour la Cévenne des Cévennes, c'est aussi, un peu, une sorte de Mur de la honte historique pour beaucoup de Cévenols. Car cette route, cette fière route, fut à deux reprises le chemin stratégique de ceux qui tentèrent de mettre en cause leur particularisme, ou, selon le langage d'aujourd'hui, leur liberté.

D'abord aux temps fabuleux des Romains en marche contre les Gabales et contre les Arvernes, auxquels les Cévenols solidaires de leurs frères de culture et de sang tendaient des embuscades quand les légions de Marius, de Domitius « à la barbe d'airain », peut-être de César, passaient par les vallées. Là-haut sur la corniche, on montre, abîmées par les bulldozers élargisseurs de chaussées, les traces qu'auraient laissées dans le granit, s'il vous plaît, les convois des Prussiens d'il y a deux mille ans, ces Romains dont on était si fiers il y a encore quelques dizaines d'années qu'ils aient détruit nos vieilles cultures. Et nos grands-parents étaient assez crédules (peut-être aussi poètes) pour attribuer aux mulets de Jules César de vagues empreintes érosives en forme de fer à cheval... Il aurait fallu que ces mulets romains eussent été disciplinés comme des légionnaires pour tous poser le pied au même endroit, comme un seul homme, si je puis dire !

Il faut bien faire la part de la légende et de l'exagération des Messieurs érudits des XVIIIᵉ et XIXᵉ siècles, gorgés, comme d'ailleurs partout en France, de latin, thèmes et versions, au collège de Nîmes, à celui d'Alès et dans les séminaires... Pour ces personnages, toute trace d'un passé un peu vieux ne pouvait être que romaine. Par les mêmes érudits, toute destruction était attribuée aux Sarrazins, alors que la probabilité est très faible de raids musulmans au cœur des Cévennes, quand Charles Martel prit prétexte des infidèles pour aller ravager le pays et saccager, à Nîmes et ailleurs, ce que les cavaliers d'Allah avaient respecté.

L'autre grande honte fut l'utilisation de la corniche et son aménagement en route royale stratégique. Là, elle devient l'axe d'une tragédie dont les souvenirs sont toujours vivants, depuis les dernières années du XVIIᵉ siècle, quand « le bourreau des Cévennes », l'intendant Lamoignon de Basville, grand commis de l'État, superpréfet de l'unitarisme louis-quatorzien, la fit refaire à neuf pour réduire et détruire les révoltés camisards qui entendaient professer librement la religion de leurs pères.

Depuis la fin des diligences, la route n'était guère plus qu'un chemin de transhumance, qu'une « draille » à moutons, jusqu'à sa renaissance au profit du tourisme automobile.

La Bible a joué, joue encore, indirectement, par atavisme culturel, un rôle important dans l'âme collective cévenole protestante, et par osmose dans les minorités catholiques, souvent noyées dans la masse huguenote de certains villages... Nos ancêtres, bien avant qu'il fût question de télévision, de cinéma, allaient rarement au théâtre; la comédie et la tragédie se jouaient dans les villes, même lorsque quelques troupes passaient dans les bourgades dont l'austérité les bannissait quelquefois. Les hommes ont besoin d'autre chose que de la vie quotidienne, et la poésie leur est nécessaire... La lecture de la Bible, chez les protestants, était imposée, surtout aux époques de révolte ou de clandestinité, et quel livre reste plus riche que la Bible, même en dehors de son contenu assouvisseur de foi... les bergers, les cardeurs de laine, les châtreurs de moutons y trouvaient une pâture culturelle d'autant plus accessible que le Livre — surtout l'Ancien Testament que les camisards et les prophètes prenaient à la lettre — parle comme eux de moutons transhumants, de figuiers, de chênes, de pins. L'olivier, arbre de vie en Ardèche et en basses Cévennes, est connu de ceux des hautes qui font leur cuisine avec son huile... L'ânesse de Balaam, qui voyait l'ange que son maître ignorait, est aussi bien cévenole qu'orientale... Les palmiers manquaient, certes, et les chameaux, mais pour nos lecteurs de Bible, le bruit des palmes bruissantes autour de Jésus à Jérusalem était celui qu'entendent les Parisiens aujourd'hui en scrutant les dépliants touristiques invitant aux vacances caraïbes ou tahitiennes. D'autant plus que la mer connue des Cévenols, directement, ou par ouï-dire, est aussi bleue, à Aigues-Morte, à Sète, au Grau-du-Roi, que celle des rivages d'Israël.

En passant, sait-on qu'il n'existe pratiquement aucun folklore qui ne soit biblique dans la Cévenne huguenote? Aucun conte, aucune bonne histoire, aucune chanson, à part quelques complaintes inspirées par les drames des massacres et de la persécution... Celle du premier consul de Lasalle à la fin du XVIIe siècle, ancien pasteur apostat à la révocation, assassiné sur l'ordre des premiers prédicants, comme celle du fils dévoyé d'une famille fidèle à la foi des ancêtres dénonciateur d'assemblées clandestines « au désert »... Je ne cite pas les noms... Trois siècles ou presque ont passé, mais les descendants existent toujours et leurs familles si longtemps marquées d'opprobre pourraient en souffrir encore, malgré tant de générations. L'amour des psaumes a tout effacé... Qu'on imagine ces incantations quand la foi était vibrante, dans les temples ou parmi les chênes et les châtaigniers au temps de l'Église sous la Croix. En chorale on chantait quatre, six ou dix psaumes traduits en français par Clément Marot et par Théodore de Bèze, dans cette chaude langue du XVIe siècle, et mis en musique par Claude Goudimel, bon parpaillot tué à la Saint-Barthélemy de Lyon, bien qu'il eût composé des messes parfaitement papistes et un très beau *Canticum*

*Beatae Mariae Virginis* très peu huguenot.

Après les cultes interminables, c'étaient les réunions sur la place du village quand il faisait beau, au temple (ou à l'église, dans les villages catholiques) quand le ciel était sombre. Autour du pasteur — ou plutôt du ministre car, jusqu'à Napoléon I^er, seuls les prêtres romains avaient droit au titre de pasteur — se groupaient le seigneur, les consuls, le collecteur des impôts, le bayle, le chantre-maître d'école avec « la partie la plus saine de la population », comme on disait alors pour désigner les chefs de famille les plus imposés. Sorte de « collectif » à l'athénienne, c'est-à-dire aristocratique au sens honnête du terme, comprenant ceux qui ont des responsabilités. L'on décidait de la réparation d'un mur public, de l'ouverture d'un chemin communal..., du remplacement d'un régent des écoles (car il y avait des écoles deux siècles ou plus avant la loi Guizot et M. Jules Ferry...). On blâmait publiquement le boulanger quand il faisait des miches trop légères, et les filles engrossées (il y en avait, quand la nature était plus forte que la religion) venaient nommer devant tout le monde celui qui les avait séduites, voué à la réparation s'il était garçon, à la réprobation générale, à la pénitence (et aux scènes de son épouse) s'il était déjà marié. Quelquefois la jeune fille refusait de parler, alors les notables n'insistaient pas, disant que l'on peut mener un cheval à l'abreuvoir mais qu'on ne peut pas l'obliger à boire. L'assemblée censurait le pasteur quand il arrondissait trop visiblement son patrimoine foncier, et le seigneur quand il tondait de trop près son « payre » ou son « ramonet », ou encore quand il courait le guilledou dans les villages des environs... Les méchants avérés étaient interdits de Sainte-Cène, c'est-à-dire littéralement excommuniés...

Tout cela paraît bien loin aujourd'hui, et la religion qui jouait un rôle si important dans la vie quotidienne, sans parler des drames humains dans le cadre historique des persécutions et de la résistance, ne remplit guère les temples, à la grande déception des pasteurs venus d'autres parties de la France, notamment des grandes villes déchristianisées, s'attendant à trouver en Cévennes des paroisses à la foi ardente, brâmant les psaumes comme leurs ancêtres, communiant à chaque occasion. Les malheureux prêchent devant des bancs vides, au mieux devant des assemblées bien plus clairsemées qu'en ville comme leurs collègues catholiques... Quand ils font reproche à leurs ouailles, qui les accueillent chez eux avec amitié et qui sont toujours heureux de « discuter » avec les pasteurs, ils découvrent que les descendants des camisards seraient prêts à se faire tuer plutôt que d'abjurer, mais n'ont ni goût ni envie d'assister au culte. Autrement dit, ils se feraient hacher pour la foi, ils payent leur cotisation à la paroisse, pourtant ils n'ont pas, comme on dit, de religion. Cependant tout change pour certaines occasions évocatrices du passé. Ainsi le grand rassemblement annuel du Désert, au mas Soubeyran, entre Anduze et Saint-Jean-du-Gard, au début de septembre sous les chênes, depuis que les châtaigniers sont morts, auprès du musée du Désert, un des hauts lieux du protestantisme français et un conservatoire aussi. Une journée grandiose où des milliers et des milliers de personnes venues de toutes les Cévennes, de la plaine de Nîmes, de la garrigue, de tout le Midi protestant, mais aussi de Paris, de Lyon, de Bordeaux, de Marseille et des pays du Refuge, comme on appelle la Suisse, les Pays-Bas, l'Écosse, l'Angleterre et bien entendu l'Allemagne, où des millions d'hommes et de femmes sont les descendants des centaines de milliers d'émigrés de la révocation de l'édit de Nantes... Près du village de Monoblet où j'ai ma tradition, un culte en plein air dans un bois de chênes, au début d'août, rassemble chaque année trente fois plus d'auditeurs qu'un service régulier au temple; les « fidèles » vont y chanter les psaumes une fois par an pour communier dans le souvenir des ancêtres persécutés, bien au-delà du pain et du vin de la Sainte-Cène.

La mutation cévenole actuelle est de loin la plus grave et la plus profonde de toutes celles qui, économiques, ont bouleversé l'histoire de ces montagnes escarpées, quoique de peu d'altitude... Les adaptations anciennes, si j'ose dire, ont été de relativement peu d'amplitude, puisque chaque fois qu'un moyen d'existence disparaissait il était remplacé par quelque chose qui ne transformait guère la vie des hommes et des femmes, et tout finissait par s'équilibrer, entre la laine, la soie, l'écorçage des chênes (et son corollaire, la tannerie dans les vallées), le charbon de bois, etc.

De nos jours, et cela dure depuis les années d'avant la Première Guerre mondiale, il y a longtemps que l'on ne travaille plus la laine qui faisait vivre tant de monde, on ne file plus la soie qui avait en quelque sorte, dans l'économie locale, concurrencé la laine avant de la relayer. On ne tanne plus dans les vallées depuis les découvertes de la chimie, on n'écorce plus les chênes, on fait la cuisine au butane ou au propane, et l'on ne « charbonne » plus. Cela a longtemps été la « grande mort » des

Cévennes, et si celles-ci revivent un peu, c'est grâce aux « vacanciers » dont je parlais en commençant, et cela, qu'on le veuille ou non.

Parlons un peu de la laine... Depuis le commencement des temps, les élevages de moutons — les grands troupeaux, les moyens et même les petits que l'on groupait au moment de l'estivage — se trouvaient dans la garrigue, dans la plaine littorale et dans cette zone un peu indécise qui fait le rebord calcaire de la chaîne cévenole... Les moutons, à la fin du printemps, traversaient les Cévennes pour aller pâturer pendant l'été là où l'herbe était bonne et le climat plus frais qu'aux confins brûlants.

Ces déplacements annuels de troupeaux immenses étaient d'une vaste amplitude et donnaient lieu à des manifestations très pittoresques, mais limitées dans le temps, puisqu'il s'agissait de passages saisonniers. Cela dit, le pays vivait en partie de la laine, puisqu'il existait une profession, celle des « facturiers » qui, depuis des temps immémoriaux, achetaient les toisons aux propriétaires de troupeaux pour travailler la laine, c'est-à-dire la faire carder, filer et même tisser par les Cévenols dans leurs hameaux avant de commercialiser le produit fini ou à demi fini, laine cardée, laine filée, laine tissée ou « cadis », voire feutre dans le reste du Languedoc, dans les autres provinces françaises, ou même en Hollande et au Portugal, où le « cadis » des Cévennes fut exporté pendant des siècles.

Vers le milieu du XIXe siècle, la plaine littorale, la garrigue et le rebord cévenol furent plantés en vigne... Là où quelques hectares de vignoble suffisaient à la population se propagèrent des milliers, des dizaines de milliers d'hectares produisant une vinasse médiocre mais lucrative. Quelques troupeaux survécurent à la nouvelle monoculture, surtout sur les confins cévenols où la vigne poussait mal.

Au même moment, la production de la soie — prospère depuis longtemps dans la région, depuis Louis XII et les guerres d'Italie qui avaient amené mûriers et bombyx de la plaine du Pô — prenait une extension considérable, pour connaître son apogée lors du déclin de la laine dû à la plantation de vigne en plaine.

Les innombrables cardeurs de laine, les foulons, les tisserands de « cadis » disparurent pour faire place aux « debassiers » ou fabricants de bas de soie, et les filatures s'élevèrent et prospérèrent partout, produisant une soie superbe, tissée à Nîmes et surtout à Lyon. Ce fut le temps où les Cévennes étaient riches. Jusqu'au moment où les soies de Chine et du Japon, plus légères et beaucoup moins chères, bien avant la rayonne et autres synthétiques, contraignirent les filatures à fermer les unes après les autres, à se transformer en ateliers, clos eux aussi aujourd'hui, de coupe et de couture d'uniformes militaires employant les anciennes fileuses.

De nos jours, les bergers et la soie des Cévennes sont devenus les éléments principaux d'un schéma de conservation ou de renouveau beaucoup plus folklorique que viable économiquement. Et l'on ne peut s'empêcher d'admirer le courage de ceux qui, contre tous les aléas en apparence insurmontables, s'efforcent de lutter contre un courant hélas bien violent.

Les efforts de restauration des Cévennes viennent le plus souvent d'étrangers au pays. Ceux qu'on appelle volontiers les Néo-Cévenols et qui sont arrivés, en partie, depuis la renaissance écologique. Quelques farceurs, parmi eux, auxquels les bras tombent de découragement après le premier hiver, mais beaucoup de garçons et de filles, d'hommes et de femmes, qui préfèrent au « métro-boulot-dodo » une vie quasi robinsonnienne dans une belle nature passée à élever des chèvres et des abeilles, et à produire du fromage et du miel.

Je les salue ici, comme je tire mon chapeau à ceux qui plantent des mûriers japonais à croissance rapide et, depuis quelques années, ont réussi à convaincre les habitants de plusieurs villages de « faire du cocon » et d'élever les vers à soie, comme au temps où l'industrie était florissante.

Les vieilles mines des Cévennes, celles du bassin charbonnier d'Alès-la-Grand'Combe, ne sont plus absolument certaines de mourir, depuis la crise de l'énergie. Puisse-t-elle servir à faire bénéficier le pays d'un début d'indépendance économique !

De tous les vestiges de l'antique culture cévenole, celle qui tient au mouton est touristiquement la plus exaltante. C'est celle qui fait rêver d'être berger en Lozère les élèves des grandes écoles qui trouvent Tahiti trop loin ! Moi qui connais Tahiti, et beaucoup d'autres îles, avec le soleil, la mer, les palmiers et les bananiers, je prends toujours un plaisir rare à descendre de la montagne, par beau temps, à pied, avec les bergers, derrière les brebis. Mais c'est lent, comme la voile par temps plat, terriblement lent, épuisant, douloureux aux pieds, et bien rares sont ceux qui, parmi les amateurs de folklore, font toute la randonnée, du début à la fin. Il est si facile, depuis qu'il existe de bonnes routes qui vont partout, de se faire prendre en voiture, aux points obligés, après une journée de marche dans les pierres roulantes des « drailles », marchées à un ou deux kilomètres à l'heure, en sautant de caillou en rocher, parce que les moutons ça flâne, ça s'éparpille quand il y a de l'espace, comme ça s'engoulette quand les défilés sont étroits.

Je dois confesser que je n'ai pas trop l'âme d'un troupelier, même quand j'aime l'odeur du suint, le tintement mélancolique des « draiaou » et quand j'admire l'adresse des chiens à rassembler le petit bétail... Ce que j'aime, toujours bon marcheur, c'est partir de grand matin avec le troupeau, et le voir arriver le soir. Entre-temps faire un détour, à mon allure, une bonne « dormide » après un solide pique-nique, à la fraîche, quand on trouve de l'ombre... Je me souviens, il y a bien longtemps, peut-être en 1938, l'année avant la guerre, d'une sorte de course tout seul, d'un troupeau à l'autre, le long de la grande draille, ou, parti du mont Bougés, je m'amusais à dépasser les divers torrents de brebis qui redescendaient de l'estive. Je fis étape, pour déjeuner, auprès de l'Asclier, sous un petit pont sur lequel passait le chemin, à peine muletier à l'époque, où roulent aujourd'hui les camions... Là se trouvait une source bien connue des transhumants. L'eau était fraîche et délicieuse, s'épanouissant après avoir suinté, dans une petite vasque toute herbée de menthe et d'autres plantes acclimatées là-haut par les bergers. J'étais seul, je bus et je « dépliai » la « biasse », le casse-croûte de pain, de saucisson et de pélardons, j'avais même un peu de vin, à l'époque c'était du clinton violet foncé, pour colorer l'eau et redonner des forces. J'allais m'endormir, dans cette espèce d'antre artificiel, quand survint le berger qui tout à l'heure parquait ses moutons un peu plus bas. Il venait, comme moi, manger et boire un peu. Il déballa son sac d'où tomba un livre, pas très épais, couvert de toile grise, façon bibliothèque des écoles autrefois. Je ramassai l'ouvrage non sans regarder le titre manuscrit à la plume sergent-major sur une étiquette bordée de bleu. Je sursautai. *Les Liaisons dangereuses...* Le berger avait surpris mon regard : Vous avez lu ? me dit-il. Vous connaissez ? C'est d'un nommé Choderlos de Laclos... Eh bé, Monsieur, je ne sais pas si vous aimez, mais moi je trouve que c'est un mauvais livre. Oh, bien sûr, il n'y a dedans ni de vilains mots ni d'histoire indécente... Mais sur le fond, c'est un livre vicieux !

Existe-t-il un type cévenol... Un type physique s'entend ? Oui et non. Au nord du massif, le poil est plus châtain que noir, et l'œil indiscutablement gris... Plus au sud, contrairement à ce qui semblerait la logique des latitudes, le Cévenol devient roux et blond, avec les yeux bleu faïence, gris clair, verts, quelquefois noisette. L'œil noir est très rare et provient généralement d'immigrés venus du littoral. Deux types de femmes, la grande et sèche, la plus nombreuse, d'un port noble, travailleuse comme une fourmi, comme elle aussi souvent serrée du porte-monnaie et austère. Auprès d'elle, dans la même famille, sa sœur ou sa cousine, petite brunette ou blondinette, plus ronde que longue, rieuse et très féminine. Peut-être descendant des « dames de la côte », Ibères razziées par les grands bergers blonds et rouquins qui ne s'aventuraient guère, aux temps celtiques, sur les rives de la Méditerranée que pour trouver des épouses.

Le caractère du Cévenol? Là, je fais attention, car je veux garder mes amis... Quelques grands points communs. En premier, le Cévenol est « reboussier », c'est-à-dire qu'il est « contre ». Non pas par principe, mais par sagesse. Il attend d'être sûr avant de se prononcer. Autrement dit, il est très calme et de sang très froid, ce qui étonne les gens du Nord, qui le prennent pour un Méridional, puisqu'il a l'accent du Midi. Un trait remarquable est son individualisme et son esprit d'indépendance. On peut le lui reprocher, mais c'est sa force et sa vocation. Peut-être née sous l'influence de la Réforme, cette caractéristique aurait en tout cas fortement influencé les catholiques dont le caractère et les réactions dans ces domaines sont très proches de celles des protestants. L'individualisme farouche a ce résultat de révéler de fortes personnalités, mais pas à proprement parler de structures populaires : autrement dit, s'il existe des Cévenols, il n'y a pas de peuple cévenol. De même que chacun possède sa Cévenne, chaque Cévenol est un monde à part. Les camisards ont combattu ensemble pour la liberté, et pas seulement la liberté religieuse... La paix revenue, chacun est parti de son côté. Quand fut, il y a quelques années, organisé le parc des Cévennes, cette opération de conservation des sites et de protection de la nature fut considérée comme une atteinte à la liberté et une emprise monstrueuse du pouvoir central sur ce qui ne le regardait pas... De nos jours, dans un village, un plan d'occupation des sols, pourtant entrepris dans l'intérêt de tous, prend des proportions sans rapport avec les intérêts lésés et pose des questions de principe... Vis-à-vis des étrangers, le Cévenol est accueillant, à condition qu'on ne vienne pas faire le faraud chez lui et les « Néo-Cévenols » de plus en plus nombreux sont vus avec sympathie s'ils cherchent à s'insérer, mais détestés et rejetés quand ils commettent la gaffe de se croire chez eux. Une observation toujours valable malgré les progrès du féminisme : l'étranger marié à une Cévenole reste un étranger, même s'il vient des environs... Ses enfants seront acclimatés, mais on dira longtemps qu'ils ne sont pas d'ici. En revanche, l'épouse, même si elle est née aux antipodes, sera naturalisée sans arrière-pensée. Ce qui, au fond, correspond au vieil adage français : *C'est le comte qui fait la comtesse.* Et comme le chef camisard Pierre Laporte, dit « le comte Roland », tous les Cévenols se sentent, chez eux, aussi nobles que le roi.

Max Olivier-Lacamp

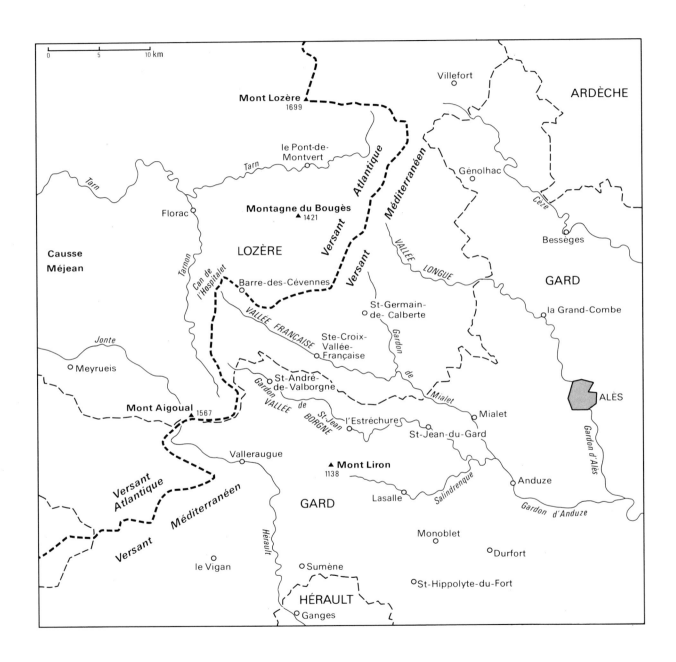

# Légendes

2

3

4

5

6

11

12

13

14

18

1

30

32

33

36

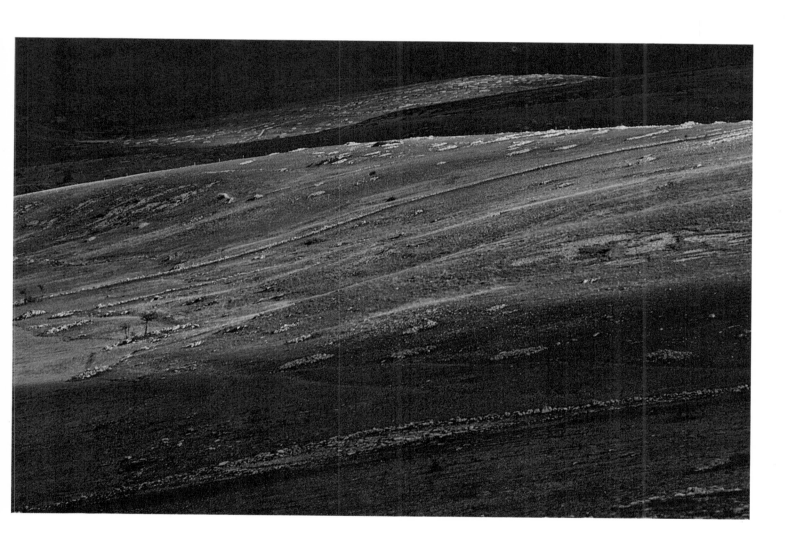

38

42

43

44

46

49

53

54

58

Achevé d'imprimer sur les presses de l'imprimerie
Grijelmo, Bilbao, Espagne

Photogravure: Atesa/Argraf, Genève

Dépôt légal: 406· juin 1985
34 0407 6